Queridos amigos roedores,
bienvenidos al mundo de

Geronimo Stilton

El Eco del Roedor
Redacción

Geronimo Stilton

Ratón intelectual,
director de *El Eco del Roedor*

Tea Stilton

Aventurera y decidida,
enviada especial de *El Eco del Roe*

Trampita Stilton

Pillín y burlón,
primo de Geronimo

Benjamín Stilton

Simpático y afectuoso,
sobrino de Geronimo

Geronimo Stilton

¡UN SUPERRATÓNICO DÍA... DE CAMPEONATO!

DESTINO

Textos de Geronimo Stilton
Cubierta de Giuseppe Ferrario
Ilustraciones de Valeria Turati
Diseño gráfico de Merenguita Gingermouse *y* Michela Battaglin

Este libro está dedicado a una familia que ama el fútbol: Mika, Irena, Marko, Ivana, Luka, Nikolina... a los amigos Krizan y Antony ¡y a todos los deportistas del mundo!

Título original: *Uno stratopico giorno... da campione!*

Destino Infantil & Juvenil
destinojoven@edestino.es / www.destinojoven.com
Editado por Editorial Planeta S. A.

Primera edición: noviembre de 2008
Quinta impresión: julio de 2009
ISBN: 978-84-08-07922-4
Depósito legal: M. 26.992-2009
Fotocomposición: Victor Igual, S. L.
Impresión y encuadernación: Brosmac, S. L.
Impreso en España - Printed in Spain

¡VIVA EL RATONIA FÚTBOL CLUB!

Queridos amigos roedores:

En aquellos días, en Ratonia todo el mundo hablaba sólo de **fútbol**, porque...

Oh, perdonad, aún no me he presentado: mi nombre es Stilton, *Geronimo Stilton*. ¡Dirijo *El Eco del Roedor*, el periódico más famoso de la Isla de los Ratones!

Como todos los demás ratones, también yo adoro el fútbol... ejem, ¿queréis saber de qué **equipo** soy? ¡*Por mil quesos de bola*, soy hincha del **Ratonia Fútbol Club**!

Ratonia Fútbol Club
Musculazo Patitas
(Entrenador)
Peloso Balón
Listillo Del Antero
Dentoso Patadita
Pataslargas Penaltoso
RATONIA
RATONIA
RATONIA
Reserva
Reserva
Ratoldo Paradón
(Portero)

Botazas Golete
(Capitán)
Ratulfo Dribloso
Rat McGol
Ratino Porlabanda
Torcuato Revoltosi
(Presidente)
RATONIA
RATONIA
RATONIA
RATONIA
RATONIA
Reserva
Ratolus Van Der Korner
Ratoniño Tacón

¡Es más, toda mi familia (la familia Stilton) es hincha del **Ratonia Fútbol Club**! También porque el fundador del equipo y su actual presidente es precisamente mi abuelo, **TORCUATO REVOLTOSI**, ¡**PANZER** para los amigos!

De joven, mi abuelo era un prometedor delantero. Dejó de jugar cuando fundó *El Eco del Roedor*: el trabajo le ocupaba demasiado tiempo y no podía asistir a los entrenamientos.

Pero, como os iba diciendo, todos en Ratonia hablaban sólo de **fútbol** porque... ¡al cabo de pocos días se iba a jugar la final de la

entre el **Ratonia Fútbol Club** y el Roditorix Fútbol Club!

Corretón Palante
Cocó Marcagol
Atlético Triunfal
Pelón Caraplato
(Entrenador)
Futbito Patín
RODITORIX
RODITOR
RODITORI
RODITORI
RODIT
Reserva
Reserva
Patón Patazas
(Portero)
Ratiño Ratelé
(Capitán)

Roditorix Fútbol Club
Disciplinio Ratonez
(Presidente)
Brutalox Testadura
Ratipichichi Chutón
Patino Patareli
RODITORIX
Bolo Bolazo
Reserva
Pelotón Pelotix

¿Hincha... o deportivo?

Ratonia, la Ciudad de los Ratones, estaba dividida.

Por ejemplo, *El Eco del Roedor* era hincha del **Ratonia**... en cambio, la *Gaceta del Ratón*, lo era del Roditorix.

Pocos días antes del partido, dediqué un especial del periódico a mi equipo del alma, con un precioso póster a todo color.

También la *Gaceta del Ratón* publicó un especial sobre el Roditorix, con otro póster muy bonito. Telefoneé a **Sally Ratonen** para felicitarla:

—Hola, quisiera hablar con Sally Ratonen, soy Stilton...

JUEGO INCORRECTO
Sally juega incorrectamente...
da patadas...
pone la zancadilla...
es prepotente...
da codazos...
tira de los bigotes...
¡mete gol!
¡A Sally le gusta jugar al fútbol, pero no respeta las reglas! ¡Da codazos y patadas a los adversarios, es prepotente y también pone la zancadilla! ¡Además se tira al suelo aullando, fingiendo haber recibido falta! ¡A nadie le gusta jugar con ella!

—Hum, *soy yo*, ¿qué quieres, Stilton? *¡Ufff!*

—Sally, he visto tu especial sobre el Roditorix. ¡Felicidades! El póster es muy bonito y...

—Ufff —resopló Sally—, yo contigo no hablo. ¡Tú eres mi enemigo porque eres hincha del equipo adversario, *ufff, ufff, ufff*!

Yo me quedé estupefacto.

—Aunque seamos hinchas de equipos distintos, podemos ser amigos, ¿no crees?

Ella gritó:

—¡No quiero tener amistad con quien apoya al **Ratonia**, *ufff, ufff,*

¡uffffffffffffffffffffffffffffffffffffffffff!

Después me colgó el teléfono en los morros.

Yo suspiré.

Sally es demasiado *competitiva*, es decir, *¡siempre quiere ganar a todos y a toda costa!*

Cuando su equipo pierde un partido, se enfada, grita y **DESTRUYE** todo lo que tiene a mano.

Sí, es una *hincha*... pero ¡no es verdaderamente deportiva!

¡Hay que saber perder con deportividad!

El deportivo apoya siempre a los suyos, pero también sabe apreciar el buen juego de los demás. Cuando pierde su equipo del alma piensa: «¡Lo importante es jugar y no siempre se puede ganar!».

A MEDIANOCHE EN PUNTO

Aquella noche, me fui a dormir tranquilo...
pero a medianoche me despertó el teléfono.

Ring Ring Ringg Ringgg Ringg Ringggg Ringggg

Contesté medio dormido.

—¡RONF! Hola, aquí Stilton, Geronimo Stil...

No llegué a acabar la frase, porque una voz atronadora me trepanó los tímpanos.

—¡Nietoooooooooooooooooooo!

Me desperté de golpe, como si me hubiesen tirado un cubo de agua helada encima.

¡Era mi abuelo!

—¡Nietooooooooooooooooooooooooooooooooo!

—¡Nietoooooooooooooooooooooo, hay una **EMERGENCIAAAAAAA**!

¡Te espero aquí dentro de seis segundos y medio exactos! —gritó mi abuelo.

Yo intenté protestar.

—Pero abuelo, es medianoche y...

—¡**REUNIÓÓÓÓÓÓNNNNNNNN** de toda la familia!

Me colgó el teléfono en los morros. Resignado, me reuní con mi abuelo en su casa, donde vive con su ama de llaves, PINA RATONI.

En la inmensa sala de estar se habían reunido todas las *víctimas* del abuelo, es decir, *¡los miembros de la familia Stilton!*

Mi hermana Tea, mi sobrino Benjamín, mi tía Lupa y otros parientes...

Ah, sí, también estaba mi primo Trampita, que es un apasionado aficionado al fútbol. ¡Su sueño es jugar un día en el Ratonia!

Algunos parientes iban en pijama y batín,

otros con zapatillas, y todos bostezaban soñolientos. ¡Lógico, era medianoche!

El abuelo tronó dramático:

—¡Parientes cercanos y lejanos! NOTICIA SECRETÍSIMA... *ha sido raptado Botazas Golete, el capitán del Ratonia Fútbol Club*!

Todos exclamamos:

¡NECESITO UN VOLUNTARIO!

El abuelo gritó:

—Botazas ha sido raptado en el Pico Tufoso, durante el entrenamiento. Necesito un voluntario que vaya al Pico Tufoso para indagar secretamente sobre el rapto. ¡Hay que encontrar al capitán, la final se va a jugar dentro de pocos días!

Alguien me empujó por detrás, riendo:

—¡Daba d ba du!

Yo tropecé y di un paso al frente...

Trampita se rió:

—¡Daba d ba du! ¡Geronimo se ha ofrecido voluntario!

¡Yo no quería ofrecerme voluntario, había sido él, que me había empujado!

El abuelo exclamó:

—¡Geronimo se ofrece voluntario: bravo, Geronimo, así me gusta, siempre DISPUESTO!

Yo abrí la boca para decir que *no* me había ofrecido *voluntario*, que sólo había *tropezado* y que no pensaba ir al Pico Tufoso ni loco...

Pero Benjamín dio un paso adelante:

—¡También yo me ofrezco voluntario para acompañar al tío Geronimo!

Tea dio un paso al frente:

—¡Yo también voy, piensa en la exclusiva que publicaremos si conseguimos descubrir quién ha raptado a **BOTAZAS GOLETE**!

Trampita resopló:

—Uff, si vais todos yo también voy. Sin mí ¿qué conseguiréis? *¡Yo soy el único que entiende de fútbol!* ¡Dabadabadú!

También tía Lupa dio un paso al frente.

—Queridos sobrinos, voy con vosotros, si no soy demasiada carga... ¡También yo soy hincha del **Ratonia Fútbol Club**!

Todos gritamos:

—¡Viva la *Familia Stilton*!

Viva

Viva Viva Viva

¡Viva el **Ratonia Fútbol Club**!

El abuelo nos estrechó la pata uno por uno.

—¡Sed **valientes** pero **prudentes**, **listos** pero **correctos**, **ágiles** pero no **precipitados**... y, sobre todo, **ojo con los gastos**, no gastéis demasiado!

Nosotros respondimos:

—¡Sí, abuelo!

¡MI ABUELO ES FAMOSO POR SER MUY TACAÑO!

Después extrajo un monedero con el dinero destinado al viaje.

Trampita lo agarró al vuelo:

—Ya me ocupo yo... ¡Daba dabadu!

Hurgó en el monedero.

—¡Abuelo, con este dinero no tenemos ni para los billetes de tren!

—Pero ¡qué billete ni qué billete! Para un viajecito así basta la bicicleta —tronó el abuelo.

Yo agité un mapa:

—¡Abuelo, el Pico Tufoso está muy lejos! ¡Y la carretera para llegar es toda de **SUBIDA**!

—¡Si partís en seguida, y pedaleáis toda la noche, podéis llegar al alba! ¡Venga, que os será beneficioso, os tonificará las pantorrillas! Eh, a vuestra edad, un recorrido así yo lo habría hecho ida y vuelta, marcha atrás y con los ojos vendados, pedaleando con una sola pierna, sin manos y...

¡Abrió la puerta del patio y señaló un extraño

SUPERTÁNDEM DE 3 ASIENTOS!

Yo pregunté:

—¿Y la tía Lupa? Abuelo, ¿no pretenderás que pedalee ella también?

El abuelo sonrió.

—¡Je , aún no habéis visto el sidecar!

EL SUPERTÁNDEM DEL ABUELO TORCUATO

VISTA LATERAL

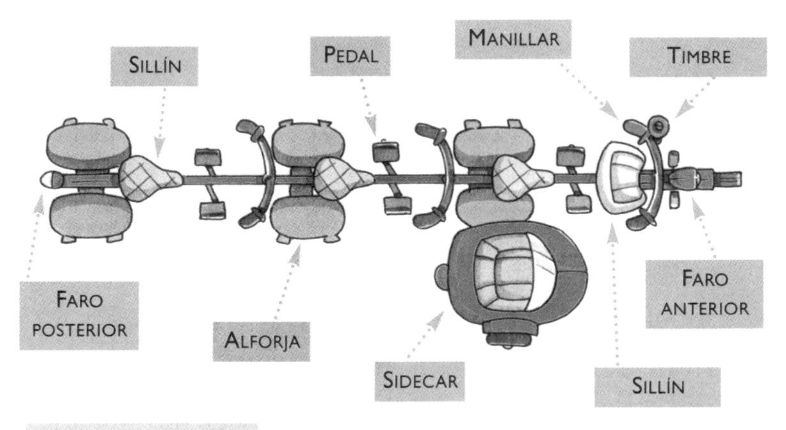

VISTA DESDE ARRIBA

Acopló el **SIDECAR** (una especie de cochecito de juguete) a la bicicleta, e hizo subir a la tía Lupa, que lo miraba perpleja (¡no se atrevía a protestar por temor a que la dejásemos en casa!).

Yo pregunté:

—**¿Y BENJAMÍN?**

El abuelo sonrió:

—Os falta imaginación, parientes. Aquí hay un sillín para colocar en la barra de la bicicleta. ¡Naturalmente, el roedor que se siente delante deberá hacer

muuucho más esfuerzo que los demás!

DABA DABA DU... DABA DABA DA...

Nos preparamos para partir.

Cada uno colocó su equipaje en las alforjas laterales del tándem.

Yo pregunté:

—¿Quién pedaleará delante? Sugeriría hacerlo por turnos...

Trampita, sin embargo, improvisó una canción para elegirlo.

Daba daba du
Daba daba da
Tres fútbolistas dándole
al pedal,
al que se despiste le tocará
Daba daba da
Daba daba du
¡Y ése serás tú!

¡Y me señaló a... **MI!** Yo iba a protestar, pero el abuelo gritó desde la ventana:

—¡Basta de cháchara, a pedalear! ¡Venga, que pronto va a amanecer! ¡Encontrad a Botazas Golete! No volváis sin él o ya podéis olvidaros de la herencia, ¿entendido?

Empezamos a pedalear.

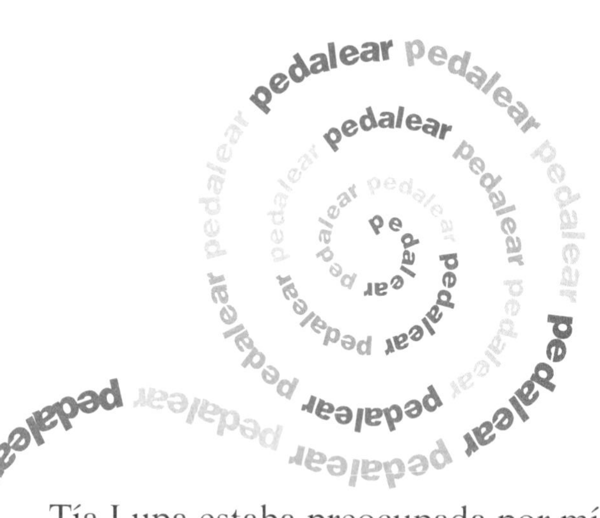

Tía Lupa estaba preocupada por mí.

—Sobrino queridísimo, ¿crees que podrás pedalear hasta el Pico Tufoso?

pedalear pedalear pedalear pedalear pedalear

Yo la tranquilicé, resoplando por el esfuerzo:
—Tranquila, tía, llegaremos sanos y salvos a la meta.
Tía Lupa me pasó una cantimplora y un bocadillo con triple ración de *¡queso!* *¡queso!* *¡queso!*

—¡Come, sobrino queridísimo, esto te dará fuerzas!

Benjamín, mientras tanto, me contaba chistes.

—¡Así te animaré, tío!

¡Ja ja jaaa! Je je je

Había un jugador tan malo,
tan malo, tan malo, que una vez
metió un gol y en la repetición
falló.

¿Cómo se llama el portero
de la selección griega?
Nikolais Nikolaréis.

¿Cuál es el gol que más duele?
El gol... pe.

¿Cómo se llama el peor jugador
de la selección japonesa?
Nikito Nitoko.

La dieta del futbolista...

Mientras pedaleaba subiendo y bajando colinas hacia **Pico Tufoso**, noté que de la alforja que tenía a *mi* lado goteaba un líquido amarillo y PEGAJOSO.

¿Qué podía ser?

Lo probé: ¡era miel!

¡Abrí la bolsa y encontré un bote con la tapa abierta!

¡La miel había empapado todo mi equipaje!

Grité desesperado:

—¡Mi camisa recién planchada! ¡Mi ropa interior de recambio! ¡Mis zapatillas!

Trampita atrapó el bote con rapidez.

—Dame eso. ¡Esta *miel* es mía, daba daba du!

—¿¿¿Miel??? ¿Para qué?

—La miel sirve para dar energía. ¡He inventado una dieta especial, la «DIETA DEL FUTBOLISTA», sólo comida energética!

—Pero ¿por qué no has puesto la miel en *tu* equipaje?

—¡Daba daba du... porque en el *mío* no cabía! En mi equipaje he metido:

3 pasteles de fresa...
2 suflés de pera...
4 tartas de frambuesa...
24 chocolatinas...
1 bote de crema pastelera...
15 budines de vainilla...
8 litros de melaza...
13 tubos de leche condensada...
115 turroncitos...
312 guindas confitadas...

7 preparados de helado de nata...
15 polos de cereza...
6 granizados de pistacho...
401 caramelos de arándanos...
9 kilos de merengue a la vainilla...
5 cajas de bombones rellenos...
16 cajas de galletas de jengibre...
22 bastoncitos de azúcar glasé...
42 kilos de gominolas de fresa...
37 bastoncitos de regaliz...
3.279 gomas de mascar con sabor a extra-menta...
¡**1** mondadientes... y también **1** litro y medio de tisana digestiva!

Yo protesté, disgustado:

—¡Puaj! Me entran **náuseas** sólo de escucharte... ¡En vez de comida energética, lo que has inventado es una dieta muy poco sana!

Él me tendió una taza de tisana digestiva.

—Eh, se ve que no entiendes nada de alimentación. ¡Toma, bebe un sorbito de tisana y en seguida te sentirás mejor, dabadabadabadu!

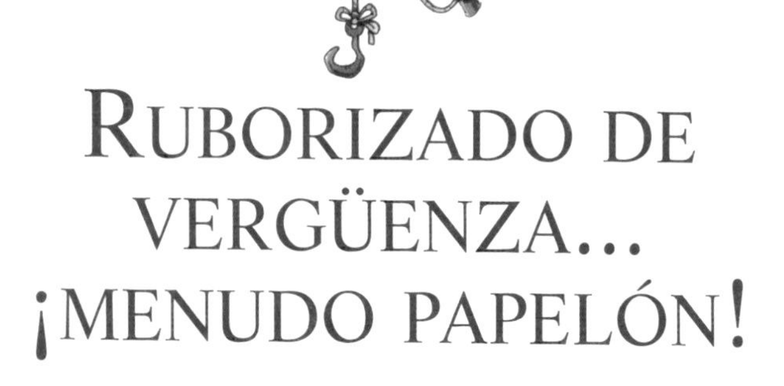

RUBORIZADO DE VERGÜENZA... ¡MENUDO PAPELÓN!

Al alba, finalmente llegamos al **Pico Tufoso**, en la región montañosa del **BOSQUE OSCURO**.

Tenía las patas tan agarrotadas que tuvieron que bajarme de la bicicleta con una *garrucha*, es decir, con un sistema de cuerdas y poleas.

Cogí mi mochila... y la olí, estupefacto.

¿Por qué mi mochila apestaba?

La abrí y me tapé la nariz: ¡contenía una masa amarilla, HÚMEDA y VISCOSA, con huevo!

Trampita gritó:

—¡Eso son mis NATILLAS! ¡Podrías tratarlas con más cuidado, daba daba du!

Me puse la gorra, pero sobre el morro, me cayó una papilla marronosa.

Trampita me gritó:

—Pero ¡qué chapucero eres! En tu gorra había metido mi merienda:

¡8 bombones de avellana!

¡No tenías que haber dejado que se deshicieran, daba d a d !

¡Yo hurgué en mi bolsillo en busca de un pañuelo para limpiarme, pero el bolsillo estaba pegado!

Trampita protestó:

—Ufff, te había metido en el bolsillo un tubito de

leche condensada. ¡Tendrías que prestar más atención, ¡daba daba du!

Yo grité:

—¡Basta, esto es demasiado!

Él, silbando, abrió una latita de bebida energética... pero el líquido, agitado por el viaje, ¡me salpicó desde la punta de los bigotes a la punta de la cola!

Yo me lamenté:

—¡No puedo cambiarme, mi equipaje está todo empapado de miel!

Benjamín me ofreció su ropa de recambio.

Con la ropa de Benjamín estaba ridiculísimo y todos los paseantes me señalaban riendo...

...PERO ¡NO TENÍA ELECCIÓN!

Me

RUBORICÉ

de vergüenza.

ME ZUMBAN LOS BIGOTES...

Finalmente, llegamos a la zona deportiva, donde se estaba entrenando el equipo nacional femenino.

¡Allí estaba la campeona *Balula Ball* !

Trampita lanzó un grito de apoyo.

—¡Vamos, Balula! ¡Eres la mejor! *¡Tú sí que eres mi tipo!*

Balula es deportiva y también inteligente: de hecho quería proponerle escribir una columna de fútbol en *El Eco del Roedor*.

En cuanto acabó el partido, la esperé fuera de los vestuarios y me incliné *besándole* la pata.

Balula Ball

—¿Me permite que me presente, señorita? ¡Mi nombre es Stilton, *Geronimo Stilton*! Soy su mayor admirador... —dije ofreciéndole mi tarjeta de visita.

—¡Oh, señor Stilton! ¡También yo soy una gran admiradora suya! Leo su periódico...

—A propósito, señorita, tengo una propuesta para usted. ¿Querría escribir una columna de deporte en él?

Trampita me dio un codazo, susurrando.

Primo, ¿por qué no me lo has dicho? ¡Yo mismo podría haberla escrito, dabadabadu!

Balula siguió a sus compañeras, pero primero me dedicó una sonrisa inolvidable.

—Entonces nos vemos en Ratonia, Geronimo. ¿Quizá podríamos cenar juntos?

Yo farfullé:

—¿Cenar? ¿Juntos? Quiere decir,

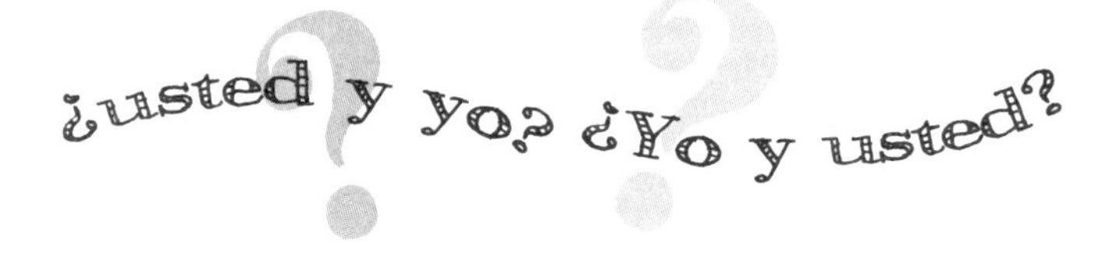

Los bigotes me *zumbaban* de ***emoción*** y...

aunque no quería sonrojarme, me ruboricé de vergüenza. ¡¡¡Qué papelón!!!

Trampita me tomó el pelo:

—¡Mi primo es tímido, ya se ve, dabadabadu!

EL CALENTAMIENTO

Por muy bueno que se pueda ser con el balón, sin una buena preparación física no se puede jugar bien y se corre el riesgo de hacerse daño. La forma física se adquiere y se conserva manteniéndose activo: corriendo, saltando, haciendo gimnasia... Antes de jugar, es importante hacer un ligero precalentamiento muscular (con ejercicios para brazos y piernas, saltos, carreras breves, etc.). ¡Para rendir, el cuerpo necesita calentarse!

¡TODO POR CULPA DE UNA ROSQUILLA!

Finalmente, vi a los jugadores del **Ratonia** entrenándose. Cuando iba a saludarlos, noté un olor a frito...

¡Era mi primo, que estaba royendo una **ROSQUILLA** de pinta indigesta!

La cortó en dos y la rellenó de crema pastelera, canturreando: ¡Daba daba du!

Cuando estaba a punto de devorarla, la rosquilla se le cayó al suelo.

Yo resbalé sobre la crema pastelera... ¡y golpeé la **ROSQUILLA** con un chute digno de un grande como Pelé! ¡Siempre resbalando, hice un *dribbling* en la banda del campo y lancé la **ROSQUILLA** directa a la puerta de los vestuarios!

Justo en ese instante, salía de aquella puerta... ¡el abuelo Torcuato!

Éste abrió la boca y empezó a aullar:

—¡Parientes, he venido a controlar lo que estabais haciend...!

Pero la ROSQUILLA le tapó la boca.

En cuanto pudo hablar, tronó:

—¡Nieto! ¿Te parece que es momento de bromitas?

Trampita se rió:

—¡Geronimo ha metido gol! ¡Dabadabadu!

¡Oí unas risitas, y de repente vi que el equipo femenino de fútbol al completo había observado toda mi escenita!

Me ruboricé de vergüenza. ¡¡¡Menudo papelón!!!

¡INCREÍBLEEEEEEEEEE!

Fui a entrar en el vestuario cuando tropecé con una **CAJA DE BOMBONES** que mi primo había dejado delante de la puerta y resbalé...

—**¡SOCORROOO!** —grité.

Acabé de morros en un enorme charco de barro.

Cuando me levanté, había perdido las gafas. Estaba todo **GRIS** de barro, desde la punta de la cola a la punta del morro.

¡Y en la cabeza tenía un manojo de hierba seca! Me ruboricé de vergüenza. ¡¡¡Menudo papelón!!!

Esperaba que todos se rieran de mí, pero en cambio gritaron a coro:

–¡Increíbleeeeeeeeee!

A tientas (sin gafas *no veo un queso*) me dirigí hacia mis parientes...

—¿Qué es increíble? —pregunté.

Benjamín me dio un espejo.

Yo me lo acerqué al morro para ver mejor, y entonces hasta yo grité:

—¡Increíbleeeeeeeeee!

Sin gafas... con el pelaje gris en vez de marrón... con el manojo de hierba en la cabeza... era idéntico al capitán del Ratonia, **¡BOTAZAS GOLETE!**

¡Parecía su hermano gemelo!

También Trampita exclamó:

—¡Increíbleeeeee!

¡NO, ABUELO, NO!

Mi abuelo me observó con detenimiento:

—***Humm***... —Y después tronó—: ¡Nieto, he tenido una idea (modestamente) **ge-nial**! Le tenderemos una trampa al misterioso secuestrador. Escucha:

1. MAÑANA, TÚ JUGARÁS LA FINAL EN EL LUGAR DE BOTAZAS GOLETE...
2. EL SECUESTRADOR PENSARÁ QUE HA RAPTADO AL JUGADOR EQUIVOCADO...
3. ASÍ INTENTARÁ RAPTARTE A TI...
4. EN LA MEDIA PARTE, TE QUEDARÁS EN LOS VESTUARIOS...
5. NOSOTROS ESPERAREMOS EN EL PASILLO...
6. ¡Y CUANDO LLEGUE PARA RAPTARTE, ZAS, NOSOTROS LO ATRAPAREMOS! ¡JA JA JAAA!

MUSCULAZO PATITAS

Yo balbuceé:

—¿Jugar en el lugar de **BOTAZAS GOLETE**? ¿En la final? ¿De la Copa de Campeones? ¡No, abuelo, no! Yo soy un roedor intelectual, no un ratón deportista, y...

—**¡Vamos, vamos, vamos!** —resopló él—. ¡Esta noche haces un buen entrenamiento intensivo y mañana por la mañana serás un verdadero fútbolista **(o casi)**!

Mi abuelo llamó al entrenador.

—¡Musculazo! ¡Entréname al jovencito! ¡Olvídate de que es mi nieto y trátalo *como a los demás*, es más, *peor que a los demás*, es más, para que los demás vean que no tenemos favoritismos, *destrózalo*!

—¡Recibido, jefe!— El entrenador se rió con malicia. Después silbó, PERFORÁNDOME los tímpanos:

Yo intenté protestar.

—¡Yo no soy capaz de jugar al **fútbol**!

Él me arrastró del brazo derecho mientras que del izquierdo tiraba mi hermana Tea.

—*Tranquilo, hermanito*, yo me ocupo de rehacerte el *look*, serás una fotocopia de **BOTAZAS GOLETE**. Tinte para el pelo... peluquín rubio... nada de gafas...

Me metieron en un microbús pintado con los colores del **Ratonia**, que partió de inmediato.

¡Iba directo a la capital, Ratonia, donde a la mañana siguiente se jugaría la final!

Mientras la puerta se cerraba detrás de mí, yo grité:

—**¡SOCORROOOOOOO!** ¡He decidido que el fútbol ya no me interesa, quiero dedicarme sólo a mi colección de **cortezas de queso del siglo dieciocho**!

Trampita se rió:

—¡Demasiado tarde... cuando se está en el *baile* hay que *bailar*... es decir, si estás en el *juego* debes *jugar*! **¡Dabadabadú!**

¡FUTBOLISTA EN UNA NOCHE!

Mientras el microbús viajaba hacia Ratonia, para mí empezó un entrenamiento tremendo.

1. PEDALEABA EN UNA BICICLETA ESTÁTICA...
2. MIENTRAS UN MASAJISTA ME MASAJEABA EL BRAZO IZQUIERDO..
3. MIENTRAS LEVANTABA PESAS CON EL BRAZO DERECHO...
4. MIENTRAS EL MÉDICO ME HACÍA TRAGAR UNA BEBIDA PARA RECUPERAR LAS SALES MINERALES QUE PERDÍA CON EL SUDOR...
5. MIENTRAS EL ENTRENADOR ME GRITABA AL OÍDO INDICACIONES DE CÓMO JUGAR...
6. MIENTRAS ME TEÑÍAN EL PELAJE DE GRIS...
7. MIENTRAS MIRABA EN UNA MEGAPANTALLA TODAS LAS ENTREVISTAS HECHAS A BOTAZAS, PARA PODERLO IMITAR...

Dentro del microbús...

Al alba, éstos eran los resultados:

1. TENÍA LAS PANTORRILLAS ENTUMECIDAS (OBVIO, HABÍA PEDALEADO DURANTE HORAS)...
2. EL BRAZO IZQUIERDO LLENO DE MORATONES (OBVIO, EL MASAJISTA ERA DEMASIADO ENÉRGICO)...
3. EL BRAZO DERECHO AGARROTADO (OBVIO, HABÍA LEVANTADO PESAS Y NO ESTABA ACOSTUMBRADO)...
4. EL ESTÓMAGO ME RUGÍA (OBVIO, ME HABÍA ALIMENTADO SÓLO DE LÍQUIDOS)...
5. ME SENTÍA TOTALMENTE GROGUI (OBVIO, EL ENTRENADOR ME HABÍA MACHACADO DURANTE HORAS CON SUS CONSEJOS)...
6. ME PICABA EL CRÁNEO (OBVIO, HABÍA DESCUBIERTO QUE ERA ALÉRGICO AL TINTE)...
7. ME ARDÍAN LOS OJOS (OBVIO, HABÍA MIRADO LA MEGAPANTALLA DURANTE HORAS)...

Entonces me deslicé de la bicicleta susurrando:

—Creo que... me siento un algo cansadito... es más, creo que voy a desmayarme...

El entrenador **MUSCOLAZO** gritó:

—¡Eh, no, chico, que ahora llega lo bueno! ¡Dentro de una hora empieza el partido de la final!

El peluquero de Tea me colocó en el cráneo un peluquín rubio:

-¡VUALÁ!

Tea, por su parte, me quitó las gafas.

—¡Eso es, sin las gafas estás perfecto!

Yo intenté protestar:

—¡Ejem, es que yo, sin gafas, no veo un queso!

Tropecé con un escalón y me caí de bruces...

Mi sobrinito Benjamín corrió en seguida en mi ayuda, mientras el abuelo Torcuato intentaba levantarme, gritando...

¡ANTES...

... DESPUÉS!

—¡Acostúmbrate a ir sin gafas, nieto! ¡Si te las pones se ve que eres *tú*, es decir, se ve que no eres *él*! ¡Así, *nada de gafas*!

Con el abuelo no se discute... ¡nunca!

Me levanté e intenté moverme, pero sin gafas... ¡no veía un queso! Tea me puso un auricular (un pequeñísimo radiorreceptor) en la oreja para podernos comunicar y Benjamín me acompañó fuera de los vestuarios... ¡no veía un queso!

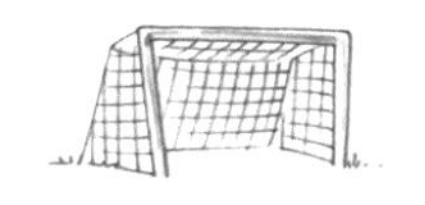

¡NO VEO UN QUESO!

Entré en el campo tambaleándome, con las patas tiesas hacia adelante.

¡No veía un queso!

El comentarista deportivo Evaristorratón Chillón gritó por el micrófono:

—***Buenos días a todos***... queridos amigos telespectadores... nos encontramos en el estadio de Ratonia... donde se va a celebrar la final de la COPA DE CAMPEONES. Arbitra **PITIDO LISTO**... y ya están

Evaristorratón Chillón

entrando al campo los dos equipos... el **Ratonia**... y el Roditorix... pitido de inicio... Ratiño Ratelé, el número 10 del Roditorix, lanza el balón hacia Corretón Palante, el líbero del equipo, que pasa el balón justo a las patas de **BOTAZAS GOLETE**, el ariete del Ratonia, pero... pero... ¿¿¿qué hace Botazas Golete... no ve que está jugando hacia la parte del campo equivocada??? ¡Menudo **PAPELÓN** el de **BOTAZAS GOLETE**... ahora Golete le ha hecho la zancadilla a Futbito Patín... el atacante del Roditorix... pitido del árbitro...

Falta de Golete... dice que no lo ha hecho aposta... que no lo ha visto... pero parece imposible que no lo haya visto... el Roditorix va a tirar la falta... Ratiño Ratelé chuta...

¡gooooooooooooooooooool!

1 a 0 para el Roditorix... qué mal juega hoy Botazas Golete... no está en forma, es más, da hasta pena... parece que no haya tocado un balón en su vida... pero ¿qué hace?... ahora le ha pasado el balón a un jugador del equipo contrario, que tira y...

¡gooooooooooooooooooool!

2 a 0 para el Roditorix... pero ¿Golete ha comprendido que está jugando al fútbol y no a bolos?... Ahora por fin empieza a correr... corre corre corre... corre corre corre... corre corre corre... corre hasta reventar... pero corre en dirección contraria... ahora chuta y...

¡gooooooooooooooooooool!

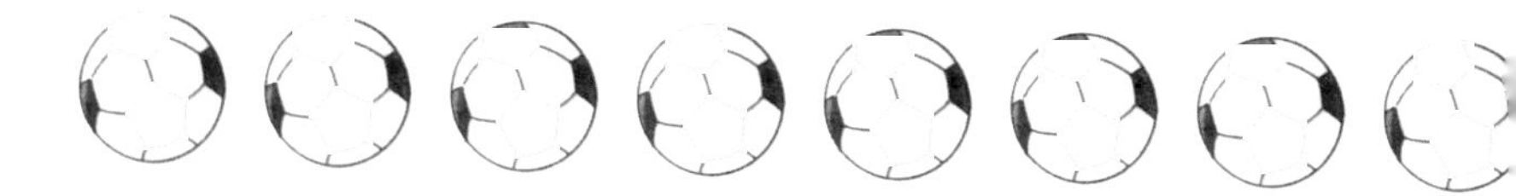

es decir, **¡AUTOgooooooooooooooooool!**

3 a **0** para el Roditorix... ¡y *toda la culpa* es de **BOTAZAS GOLETE**! Los jugadores del equipo *contrario* deberían llevar a Golete a hombros... en cambio, los jugadores de *su* propio equipo deberían tirarle de los bigotes...

3-0

¡Final del primer tiempo!

PITIDO LISTO

¡Fuiiiiiiiiiii!

Siguiendo el plan del abuelo, en cuanto el árbitro silbó el final del primer tiempo, yo me dirigí a los vestuarios vacíos y me encerré dentro. ¡Estaba destrozado! Fuera, los fútbolistas y los hinchas del Ratonia gritaban a pleno pulmón:

—**¡BOTAZAS GOLETE!** ¡Por tu culpa estamos perdiendo **3** a **0**! Si te pillamos te tiraremos de los bigotes!

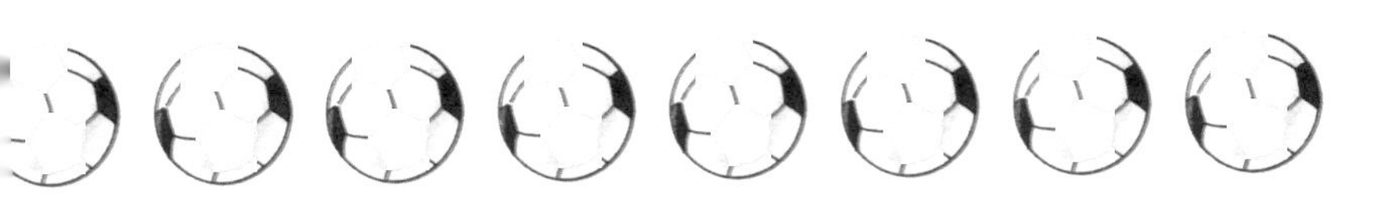

QUESO
¡Gooooooooooooooooool!

¡Autogoooooool!

¡NO ES CULPA MÍA SI NO VEO UN QUESO!

Solo en el vestuario desierto, grité:

—*¡Por mil quesos de bola!* ¡No es culpa mía si sin gafas no veo un queso!

Entonces miré a mi alrededor, ESTREMECIDO.

Me encontraba en una inmensa habitación, rodeada de taquillas de metal que brillaban siniestramente en la penumbra.

El auricular empezó a crepitar.

Yo escuché atentamente...

Tea susurró:

—¡Todo bien, Geronimo! Estamos escondidos en el pasillo. ¡En cuanto llegue el secuestrador, lo capturaremos!

Aunque sabía que había micrófonos colocados por doquier, que mis parientes estaban

GOLETE
10
RATTONIA
F.C.

apostados en los pasillos, y que el servicio de seguridad había rodeado el estadio...

¡Tenía un miedo increíbleeeeeeeeeee!

Noté que *algo* me rozaba la oreja y chillé:

—**¡Aaagh!**

Entonces ¡me di cuenta de que sólo era una telaraña!

—**¿Es él? ¿Ya ha llegado?** —gritó Tea excitada en el auricular:

—¡No, falsa alarma! —suspiré yo.

Oí un ruido procedente de los baños.

—¿Qui-quién está ahí? —chillé.

Entré en los baños.

Vi una larga hilera de puertas. Entonces comprendí qué era lo que había oído: ¡el viento hacía batir una ventana!

Tea gritó en el auricular:

—**¿Es él? ¿Ya ha llegado?**

—¡No, falsa alarma! —suspiré yo.

Al fondo del pasillo, entreví una figura en movimiento y dos ojos que brillaban en la oscuridad... Chillé:

—¡SOCORROOOOOOOOO!

Entonces, de repente, lo comprendí: ¡Era yo! ¡Era mi imagen reflejada!

Tea gritó en el auricular:

—**¿Es él? ¿Ya ha llegado?**

—¡No, falsa alarma! —suspiré yo.

Mi hermana protestó:

—¡Ya basta de falsas alarmas! ¡Chilla sólo si vale la pena!

Y, en aquel preciso instante...

¡Por mil quesos de bola, qué golpe!

Precisamente en aquel instante, con el rabillo del ojo entreví una figura vestida con un mono negro, que se confundía con las **sombras**. El desconocido se deslizó silencioso detrás de mí... se acercó a mi espalda... se acercó hasta rozarme...

Yo me volví de golpe, gritando:

¡SOCORROOOOOOOOOO!

El desconocido me dio un golpe en la cabeza.

¡SBANGGGGGG!

Yo me desmayé. Cuando recobré el sentido, me di cuenta de que, al caer al suelo, había perdido el auricular.

¡No podía dar la alarma!

El desconocido abrió una taquilla y vi a...

¡BOTAZAS GOLETE!

Estaba atado y amordazado.

El desconocido dijo:

—Hummm... *¿cuál de los dos será el auténtico? ¿éste o ése... éste o ése... éste o ése?...* ¡Vaya!...

Yo aún estaba en el suelo...

—¡*Por mil quesos de bola*, qué golpe!

El desconocido me miró muy de cerca, farfullando:

—Humm... quizá... puede que... parece que... se diría qué... pero ¿es posible? Claro que sí... reconozco *esa voz de intelectualillo... esa expresión de bobo... ese bigotito mustio de caraqueso...* claro que sí, te reconozco, *ufff.*

Me apuntó con un dedo **gordezuelo**:

—¡*Ufff*, tú, *caraqueso*, tú no eres **BOTAZAS GOLETE**... tú eres...!

¡RODITORIX, RA-RA-RA!

Entonces gritó:

—¡Te he reconocido! *Ufff*, tú eres Stilton, *Geronimo Stilton*, director de *El Eco del Roedor*... mi **ENEMIGO NÚMERO UNO**!

Yo reconocí aquella voz familiar y grité a mi vez:

—¡Y tú eres **SALLY RATONEN**, directora de la *Gaceta del Ratón*, mi **ENEMIGA NÚMERO UNO**!

Las luces se encendieron de repente y Tea gritó:

—¡Has caído en la trampa!

Sally Ratonen

Se acercó y le arrancó la capucha...

Tea lanzó un grito de sorpresa:

—¡TÚÚÚÚÚÚÚÚ!

—¡*Por los bigotes zumbones del gato melón*, era una trampa, ¡ufff! —exclamó Sally.

Yo farfullé:

—Pe-pero ¿por qué querías raptarme?

—*Caraqueso*, no quería raptarte a ti. ¿Qué hago yo con un caraqueso como *Geronimo Stilton*? ¡*Ufff*, yo quería raptar al *verdadero* **BOTAZAS GOLETE** porque quería que mi equipo del alma, el Roditorix, gana-

ra la Copa de Campeones! ¡Sin su capitán, el **Ratonia** no tendría ninguna esperanza!
Entonces gritó:

—¡Roditorix, ra-ra-ra-ra!

—¡Yo soy deportiva... haría lo que fuera por mi equipo del alma, *ufff ufff ufff*!
Tea sacudió la cabeza:
—No, tú *no eres una verdadera deportiva*, eres sólo una *hincha*. No entiendes nada de deporte. ¡Ser deportivo significa *saber perder*!
El servicio de seguridad se llevó a Sally, que chillaba a pleno pulmón:
—¡Esto no acaba aquí, el próximo año habrá otra final, y entonces veremos quién ganaaaaaaaaaaaaa!

¡Ro-di-to-rix- Ro-di-to-rix- Ro-di-to-rix, ra-ra-ra! ¡Ufff!

Yo abracé a Benjamín con fuerza.

—¡*Ganar, ganar, ganar*! Sally sólo sabe hablar de *ganar*. ¡No es una verdadera deportiva!

Mientras, el altavoz anunció:

¡A todos los señores roedores espectadores!
A causa de una grave irregularidad,
nos vemos obligados a interrumpir
el partido, que se jugará mañana
a la misma hora. ¡La entrada
será válida también mañana!

Toda mi familia me abrazó.

—¡Geronimo, estábamos preocupados por ti!

Incluso Trampita confesó **emocionado**:

—Te has llevado una buena, primo. ¡Estoy orgulloso de ti, eres muy valiente, daba da d !

BOTAZAS GOLETE me estrechó la pata.

—¿Cómo puedo agradecértelo, Geronimo? ¡Me has salvado *justo en el córner*!

Yo le señalé a mis parientes.

—No me lo agradezcas a mí, agradéceselo a la *Familia Stilton*. ¡El nuestro ha sido un juego de **equipo**... como siempre!

Luego, todos nos abrazamos emocionados. Aunque nos peleamos a menudo, nos queremos mucho. Y siempre hacemos todo lo posible por ayudarnos unos a otros.

¡Gooooooooool!

Al día siguiente, se volvió a jugar la final... ¡esta vez con el *verdadero* **BOTAZAS GOLETE**!

Antes del partido, **sonó** el himno de Ratonia. Los jugadores y los espectadores, *puestos en pie* lo escucharon emocionados, con la pata derecha sobre el corazón.

Benjamín y yo gritamos:

—¡Que gane el mejor!

La mitad del estadio agitaba banderas del **Ratonia**, y la otra mitad del Roditorix.

Evaristorratón Chillón empezó su crónica:

—***Buenos días a todos***... está a punto de empezar la final de la COPA DE CAMPEONES. Arbitra el señor **PITIDO LISTO**... salen al campo los dos equipos... el **Ratonia**... y el Roditorix... suena el pitido de inicio... Pataslargas Penaltoso, del Ratonia, pasa la pelota a su compañero Den-

toso Patadita, que **dribla** a tres jugadores del Roditorix y le pasa el balón a **BOTAZAS GOLETE**, que corre hacia la portería y...

¡gooooooooooooooooool!

¡**1** a **0** para el **Ratonia**! Pero ¿qué pasa? Los hinchas del Ratonia... se han puesto todos en pie... para aclamar a su equipo... ¡qué **OLA**, tan bonita!

¡Una immensa ola de entusiasmo!

Pero un jugador del Roditorix, Futbito Patín, coge el balón... se lo pasa a su compañero de equipo, **COCO MARCAGOL**... que con un chut felino lo lanza... va directamente a la red

¡gooooooooooooooooool!

1 a **1**... con este gol, el Roditorix empata... y ahora todos los jugadores del Roditorix se cierran defendiendo... pero el árbitro pita... *¡Final del primer tiempo!*

Pasados quince minutos, los jugadores volvieron al campo.

—***Bien venidos todos***... acaba de empezar el segundo tiempo... **Atlético Triunfal**, del Roditorix intenta parar a Rat McGol con una acción incorrecta... y el árbitro pita... ¡*penalti* para el **Ratonia**!

Un grito se elevó en el estadio.

—¡Penaltiiiiiii!

—*¡Lo tirará Botazas Golete!* Coloca el balón... ahora se concentra... y chuta...

¡gooooooooooooooooool!

... el portero, Patón Patazas, se ha quedado de piedra... ¡**2** a **1** para el **Ratonia**! El partido prosigue... ahora el Ratonia ataca de nuevo...

¡gooooooooooooooooool!

¡**3** a **1** para el **Ratonia**! Estamos en el minuto cuarenta y cinco... el árbitro pita... *¡el partido se ha acabado!* ¡Los jugadores del Ratonia llevan a hombros a **BOTAZAS GOLETE**... su capitán!

Después, toda la ciudad salió exultante a la calle para celebrarlo con banderas y pancartas.

PERO NO HUBO VIOLENCIA.

NO HUBO RABIA.

NO HUBO PELEAS.

El ejemplo negativo de Sally había hecho comprender a todos qué pasa cuando se **EXAGERA**, cuando se olvida que el deporte debe ser una diversión, ¡no el intento de ganar a toda costa!

También los equipos del Ratonia y del Roditorix dieron ejemplo de *deportividad* y lo celebraron junto a sus hinchas... unidos por la misma

¡pasión por el DEPORTE!

¡El deporte es valentía, lealtad y amistad!

En la fiesta, **GOLETE** le regaló a Benjamín la camiseta con la que había jugado.

Se la firmó, escribiendo esta dedicatoria:

A mi amigo Benjamín, con afecto y simpatía, de Botazas Golete, Capitán del Ratonia.

¡El deporte es valentía, lealtad y amistad!

Después le propuso:

—¿Te gustaría entrar en el **Ratonia Junior**, Benjamín? ¡Te he visto jugar, y eres muy bueno!

¡Benjamín estaba feliz!

Trampita estaba envidioso.

—Ejem, ¿habría un sitio para mí también? Yo soy un gran hincha del Ratonia...

Botazas Golete se lo pensó, y después dijo:

—¿Querrías ocuparte de nuestra alimentación? Geronimo me ha dicho que eres un gran cocinero...

Trampita se puso muy contento.

—¡Jefe, yo me ocuparé de rellenaros las tripas con la comida precisa para marcar **goles**! ¡Veréis qué energía vais a tener, os parecerá que lleváis un motor a reacción en las botas! ¡Acabo de patentar la Dieta del Futbolista! ¿Cuándo empiezo, eh?

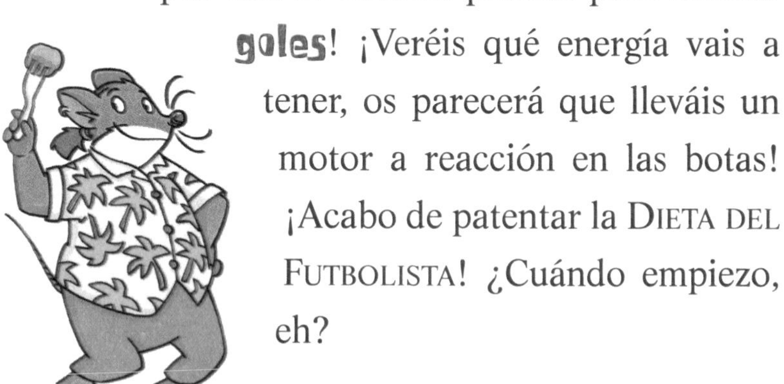

¿Cuándo empiezo, eh?

¿Cuándo empiezo, eh?

¡¡¡TRAEDME YA LA COPA!!!

El abuelo estrechó la pata del presidente del Roditorix, Disciplinio Ratónez, y dijo:

—Es un honor. Habéis jugado muy bien, ¡felicidades!

El otro sonrió con deportividad.

—¡Os felicito, habéis ganado con honor!

Después, el abuelo **TRONÓ**:

—¡Traedme ya la Copa, quiero que nos hagamos una foto todos juntos!

Benjamín corrió a por la Copa... pero volvió gritando.

—¡Abuelo, la COPA DE LOS CAMPEONES no está! ¡La Copa ha desaparecido!

Todos gritaron:

—¿Cómo? ¿La Copa ha desaparecido?

Pero en aquel instante llegó RAVIOLINDO TORTELLINI, el cocinero más famoso de Ratonia, ¡con la COPA llena de un delicioso helado!

—¡Esto es un modesto homenaje a mi equipo del alma!

Trampita se relamió los bigotes:

—¡Amigos, esto sí que es una fiesta!

Yo sonreí contento. Eso es lo bello del deporte: ¡*une a quien ha ganado y a quien ha perdido*... en la satisfacción de estar juntos en ALEGRÍA!

MINIDICCIONARIO de FÚTBOL

¿BALÓN-PIE o BALÓN-PIE y MANO?

Un DEPORTE UNIVERSAL

¿CAMPEÓN se NACE o se HACE?

UN GRAN CAMPEÓN

ÁRBITRO: Juez de un partido. Hace cumplir las reglas y decide en las acciones del juego.

AMONESTACIÓN: Advertencia que recibe un jugador por parte del árbitro durante el partido. Existen dos tipos: la verbal, que es sólo un aviso, y la que implica tarjeta.

ARCO: Portería.

ÁREA: Superficie frente a cada una de las porterías, dentro de la cual el portero puede coger la pelota con las manos.

ATACANTE: Jugador que tiene el cometido de llegar hasta la portería y marcar gol.

AUTOGOL: Cuando el balón entra en la propia portería involuntariamente.

BANQUILLO: Banco colocado en las bandas del campo, donde se sienta el equipo técnico y los jugadores reserva.

BARRERA: Alineación de jugadores de un equipo para obstaculizar el chute de una falta.

CAPITÁN: Jugador que dirige a su equipo dentro del campo de juego. Se lo puede distinguir porque lleva un brazalete.

CABEZAZO: Golpe que se le da al balón con la cabeza.

CANTERA: Los jugadores que forman parte de los equipos de las divisiones inferiores de un club. Si juegan muy bien pueden llegar a jugar en el primer equipo.

CENTROCAMPISTA: Jugador que ocupa la zona central del campo. Su función es de enlace entre la defensa y la delantera, para ayudar a los jugadores a llegar hasta la meta del equipo contrario.

CÉSPED: Hierba espesa que cubre todo el campo de juego.

CHILENA: Chute acrobático que se efectúa de espaldas a la portería lanzando la pelota por encima de la propia cabeza y mandándola a la red.

CÍRCULO CENTRAL: Círculo de un radio de 9,15 metros situado en el centro del campo y desde donde se saca el balón al principio del juego y después de cada gol.

CONTRAATAQUE: Rápido ataque a la portería contraria después de una acción de ataque del contrincante.

CRACK: Jugador excepcionalmente bueno.

DEFENSA: Jugador colocado dentro de su propia área, cuya función es impedir que el atacante del equipo contrario marque gol.

DELANTERO CENTRO: Delantero que ataca por el medio del campo.

DERBY: Encuentro que enfrenta a los dos equipos más importantes de una misma ciudad, región o país.

DESMARQUE: Movimiento de un jugador hacia un espacio libre de contrincantes para recibir el pase de un compañero.

DRIBBLING: Rápida serie de toques de balón para superar al adversario.

FALTA: Comportamiento no reglamentario de un jugador, que determina una sanción en favor del equipo que la ha sufrido.

FINTA: Movimiento del cuerpo usado para desorientar al contrincante.

GOL: Cuando se mete el balón en la portería contraria. El equipo que más goles mete gana el partido. Si un jugador marca un gol en su propia portería, éste se contabiliza como gol del equipo adversario.

GOLEADOR: Un jugador que mete muchos goles.

GUARDAMETA: Portero.

LATERAL: Defensa que juega en la banda y cuya función es marcar al extremo.

LÍBERO: Jugador que cubre los huecos que dejan el resto de los defensas y que se interpone frente al delantero cuando éste ha desbordado a la defensa.

LINIER O JUEZ DE LÍNEA: Hay 2 y siguen el

juego desde las bandas laterales. Ayudan al árbitro en la conducción del partido señalando, entre otros, los fuera de juego y las sustituciones. Emiten su juicio cuando se efectúa una acción incorrecta fuera del campo visual del árbitro.

PASE: Lanzamiento del balón a un compañero de equipo.

PENALTI: Se concede cuando un equipo ha cometido una falta dentro del área del otro equipo. Se tira con la pelota colocada sobre un círculo situado a 11 metros de la portería.

PORTERO: Jugador que protege la portería. Es el único que puede utilizar las manos para tocar el balón, pero sólo dentro del área.

RESERVA: Jugador que permanece en el

banquillo a disposición del entrenador para sustituir a un jugador del campo si fuera necesario.

SAQUE DE ESQUINA O CÓRNER: Falta que se lanza desde el ángulo formado por la línea lateral y la de fondo. Se tira desde el lado del campo por donde ha salido la pelota.

TACONAZO: Chute dado al balón con la parte posterior de la bota.

TARJETA AMARILLA: Cartulina que el árbitro enseña a un jugador como amonestación anterior a otra falta que comporte la expulsión del campo de juego. Dos tarjetas amarillas significan una roja, y ésta, a su vez, la expulsión.

TARJETA ROJA: Cartulina que el árbitro enseña a un jugador cuando decide expulsarlo del campo de juego, o después de que haya acumulado dos amarillas.

TERRENO DE JUEGO: Superficie donde se juega el partido. Longitud: entre 90 y 120 metros. Anchura: entre 45 y 90 metros.

TIEMPO REGLAMENTARIO: 2 tiempos de 45 minutos cada uno, más los posibles minutos de recuperación.

TIRO: Chut.

TITULAR: Cualquiera de los once jugadores escogidos por el entrenador para jugar un partido.

ÉRASE UNA VEZ EL GOL DE ORO Y EL GOL DE PLATA

En los grandes torneos internacionales a eliminación directa, el partido no puede acabar en empate. Entonces, después de los tiempos reglamentarios, se juegan otros dos tiempos suplementarios de 15 minutos cada uno, llamados prórroga.

En el pasado, el partido se interrumpía inmediatamente en cuanto se metía el primer gol del tiempo de la prórroga, a ese gol se lo llamaba «gol de oro». Después, la UEFA decidió cambiar la regla, introduciendo el «gol de plata»: aunque un equipo marcara, se debía continuar jugando hasta el final del tiempo de la prórroga. Así, el equipo que estaba en desventaja tenía la posibilidad de recuperarse.

Desde 2004 se ha abolido el «gol de oro»: gana el equipo que al final de los dos tiempos de prórroga tiene ventaja. ¿Y si nadie marca? Entonces se pasa a los penaltis: ¡cada equipo tiene a su disposición 5 tiros a puerta y gana quien más goles mete! En caso de empate, se prosigue hasta que uno de los dos equipos se adelanta al otro en número de goles.

¿BALÓN-PIE O BALÓN-PIE Y MANO?

¡No es un juego de palabras! Explica exactamente lo que sucedió en Inglaterra el 26 de octubre de 1863. Hasta aquel momento, se jugaba al fútbol, pero las reglas no estaban definidas: ¡cuando dos equipos iban a disputar un partido, establecían las reglas justo antes de empezar!

La pelota podía ser golpeada con los pies o agarrada con las manos: algunos eran acérrimos defensores del juego con las manos y otros del juego con los pies. ¡Y no faltaban las discusiones!

¡Es más, cada vez eran más encendidas! Un día, durante un partido en la ciudad de Rugby, un chico se puso el balón bajo el brazo y corrió hasta alcanzar la portería contraria. Los defensores del fútbol con los pies se enfadaron. Aquella tarde, los capitanes de once clubes deportivos, se reunieron, fundaron la primera asociación de «football» (¡balón-pie, precisamente!) y confeccionaron el primer reglamento del fútbol.

Obviamente, el reglamento de hoy en día ya no es aquel que los once capitanes ingleses establecieron aquella tarde. Por ejemplo, hasta 1970 no existía el banquillo y no estaban previstas las sustituciones. Si algún jugador se hacía daño, tenía que irse del

RUGBY

El juego del «rugby» toma su nombre de la ciudad inglesa donde se jugó el primer partido. La pelota de rugby tiene una característica forma oval.

campo. El equipo con el mayor número de lesionados jugaba en minoría. Por otra parte, el fuera de juego se daba cuando no había al menos 3 jugadores entre la pelota y la portería adversaria (ahora son 2) incluido el portero, que entonces ni siquiera era un verdadero portero, porque cualquier jugador podía entrar en la portería para parar la pelota. ¡Menudo lío!

FÚTBOL EN ROSA

Se suele cree que el fútbol siempre ha sido un deporte masculino. No es cierto. Ya en 1895 se jugó en Inglaterra el primer partido de fútbol femenino. Y después de algunos decenios se celebró el primer encuentro mixto: soldados contra enfermeras. Los soldados, seguros de su superioridad, decidieron jugar con los brazos atados a la espalda: ¡perdieron 8 a 5!

UN DEPORTE UNIVERSAL

Todas las naciones de los cinco continentes tienen equipos de fútbol y selección nacional. Y las ocasiones de encuentro son realmente numerosísimas, para alegría de los hinchas. Aquí tenéis las más importantes:

MUNDIALES

Se disputan cada cuatro años desde el lejano 1930, cuando se jugaron en Uruguay. Entonces, la copa disputada se llamaba **Copa Rimet**, cuyo nombre proviene del presidente de la FIFA (Federación Internacional de Fútbol) que fue quien ideó los Mundiales. Se concedería definitivamente al que ganase tres veces consecuti-

El registro de ORO de los MUNDIALES

1930 URUGUAY
1934 ITALIA
1938 ITALIA
1950 URUGUAY
1954 ALEMANIA OCCIDENTAL
1958 BRASIL
1962 BRASIL
1966 INGLATERRA
1970 BRASIL
1974 ALEMANIA OCCIDENTAL
1978 ARGENTINA
1982 ITALIA
1986 ARGENTINA
1990 ALEMANIA
1994 BRASIL
1998 FRANCIA
2002 BRASIL
2006 ITALIA

vas el campeonato. Brasil fue el que se la llevó a casa en 1970. Después, fue sustituida por la **Copa de la FIFA**, que se le concede al equipo vencedor durante cuatro años, es decir, hasta el siguiente Mundial. En la base de la copa se graban los nombres de las naciones ganadoras: ¡cada año se añade el nombre de quien la ha conquistado!

OLIMPIADAS

El fútbol se convirtió en deporte olímpico a partir de la edición de 1900. Hasta 1984 no podían participar futbolistas profesionales, que normalmente juegan en equipos nacionales, y no era un torneo muy seguido. Hoy en día, las cosas han cambiado, y en la Olimpiadas participan los grandes campeones de cada país. Desde los Juegos de Atlanta de 1996, se ha introducido también un torneo femenino, que en aquella primera edición ganó Estados Unidos.

Campeonato Europeo de la UEFA

En 1958 se jugó la primera Copa Europea de las Naciones, ahora denominado Campeonato Europeo de la UEFA (Unión de Asociaciones Europeas de Fútbol). Se disputa cada 4 años y participan 16 equipos nacionales europeos.

UEFA Champions League

Antes se llamaba Copa de los Campeones. Desde la temporada 1992/1993, a pesar de seguir siendo el campeonato más prestigioso a nivel europeo, ha cambiado el nombre y también el mecanismo: ya no hay partidos de ida y vuelta con eliminación directa, sino un sistema de fases por grupos y fases por eliminación directa. Disputan la UEFA CHAMPIONS LEAGUE los equipos ganadores de sus respectivas ligas nacionales y los equipos que les siguen en la clasificación (la UEFA establece el número de clubs por cada federación). El Real Madrid tiene el récord de victorias (¡9, de las cuales 5 son consecutivas!) y finales disputadas.

Copa UEFA

La actual Copa UEFA, el otro famoso torneo entre equipos europeos, se llamaba antes Copa de las Ferias, porque sólo se jugaba en las ciudades europeas que acogían las ferias internacionales del comercio. Desde la edición de 1971/1972 el torneo ha dejado de estar ligado a las ferias y ha tomado el nombre del ente deportivo que lo organiza. El Inter, el Juventus y el Liverpool comparten el récord de tres victorias cada uno en la Copa de la UEFA.

EL TROFEO

El trofeo de la Copa de la UEFA, realizado en mármol amarillo y plata, ¡pesa unos 15 kilos! El esfuerzo de levantarlo frente al público le toca al capitán del equipo vencedor.
El reglamento prevé que el trofeo sea custodiado por el equipo ganador durante un año.

¿CAMPEÓN SE NACE O SE HACE?

Las palabras clave son divertirse, aprender a jugar con los demás, estar con los amigos. ¡Y qué alegría cuando se consigue meter un gol o parar un tiro especialmente difícil! Si decidimos que el fútbol es nuestro deporte favorito, quizá para emular a los jugadores de nuestro equipo del alma, entonces podemos entrenarnos más seriamente y con regularidad.

Porque, como dicen los grandes del fútbol: campeón no se nace, se llega a ser campeón con entrenamiento y paciencia.

BENJAMINES

En este grupo se empieza a frecuentar la escuela de fútbol a los 8 años. Se aprende a correr con la pelota, a pasarla a los compañeros, a tirarla a puerta.

LA ALIMENTACIÓN DE LOS CAMPEONES

Nuestro organismo puede ser comparado con una máquina que necesita «gasolina» para funcionar. Y este carburante viene de los alimentos que comemos. Para jugar mejor, debemos entrenarnos bien, pero también alimentarnos de manera sana. Que no quiere decir seguir una dieta particular, sino comer un poco de todo, nunca más de la cuenta, sobre todo antes de jugar, y beber mucha agua (pero ¡nunca helada!) para recuperar todos los líquidos perdidos corriendo y sudando.

Alevines

A los 10-12 años se está listo para pasar a los ALEVINES y para el primer partido en equipo, compuesto por entre 5, 7 o 9 jugadores. Así se podrá poner en práctica lo que se ha aprendido durante los entrenamientos.

Los partidos son más breves que los de los mayores, y también el campo de fútbol tiene dimensiones más reducidas, pero se obtienen igualmente muchas satisfacciones.

Infantiles

Después de unos cuantos años de juego y entrenamiento se comprenderá en qué posición se prefiere jugar: portero, delantero, defensa... y también en qué posición se puede ser de mayor ayuda para el equipo. Entonces, entre los 12 y los 14 años se pasa a los INFANTILES. El juego se vuelve más serio, pero ¡nunca hay que olvidar que siempre es un juego, un modo de estar juntos y de divertirse!

UN BUEN ENTRENAMIENTO DE BASE

El fútbol es un juego que requiere una preparación tanto técnica como física. Para poner en práctica estrategias ganadoras, hay que tener un físico sano y bien entrenado, de otro modo no se tendrá la energía necesaria para correr con el balón o no se tendrá musculatura suficiente para lanzar un buen chute. En resumen, el entrenamiento lo es todo. Y mantenerse en forma no es difícil: ¡basta decir no a la vida sedentaria! ¿Cómo? Caminando, yendo en bicicleta o con los patines, subiendo escaleras a pie en vez de tomar el ascensor, haciendo los ejercicios de gimnasia que nos enseñan en la escuela, dedicando unos pocos minutos al día a ejercicios que tonifican los abdominales...

¡Bicicleta!

¡Gimnasia!

¡Patines!

¡Abdominales!

UN GRAN CAMPEÓN

Convertirse en un gran campeón es quizá el sueño de todos los chicos y chicas. También porque los campeones obtienen la gloria...

¡Y FICHAJES ESTRATOSFÉRICOS!

Entre todos los jóvenes que empiezan a jugar al fútbol, los verdaderos campeones se cuentan sin embargo con los dedos de una mano. Hay quien llega a jugar muy bien y a ser un profesional de primera, segunda o tercera división. Pero los campeones que pasan a la historia no son tantos.

Para no olvidarnos de ninguno, sólo mencionaremos a uno, nombrado el fútbolista del siglo por un jurado internacional de periodistas deportivos: ¡Pelé!

Su verdadero nombre es **Edson Arantes do Nascimiento.** Nace en Brasil, en 1940, y empieza a jugar en la calle con los amigos usando como balón un calcetín lleno de papeles. Debe de llevar el fútbol en la sangre, porque su padre ya jugaba en el equipo local.

Un importante jugador brasileño se fija en él y se lo lleva al **MUNDO DE ORO** del balón. Es el inicio de una carrera que no tiene igual. **Pelé** ha metido una media de más de un gol en cada uno de los 1.300 partidos que ha jugado. Ha contribuido 3 veces a la victoria del **BRASIL** en los Campeonatos del Mundo jugando 11 veces. Cuando se retira, en 1977, lo ha ganado prácticamente todo gracias a su velocidad, a su habilidad para «driblar» a los adversarios, a su capacidad de elevación y, sobre todo, a su precisión. No en vano lo han llamado *o' rey do fútbol*, es decir, ¡el rey del fútbol!

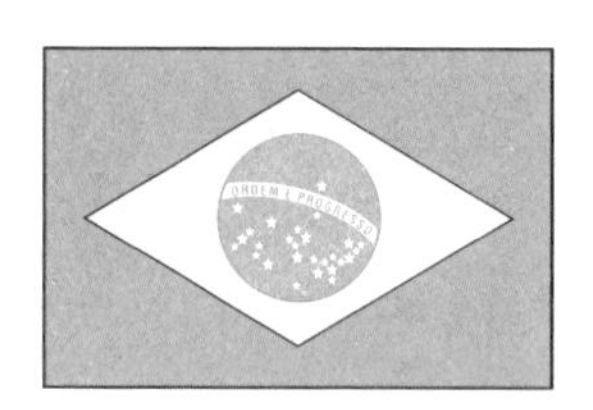

LOS DERECHOS de los NIÑOS

Ganar es bonito y es natural ser competitivo. Pero eso nunca debe hacer olvidar que el fútbol es un juego. No deben olvidarlo los jóvenes atletas, pero tampoco los entrenadores y los padres, que a veces no dan precisamente un buen ejemplo. Aquí tenéis lo que ha escrito la Comisión del Tiempo Libre de las Naciones Unidas, creando en 1992 la que ha sido definida como la Carta de los Derechos de los Niños en el Deporte.

UN JOVEN JUGADOR TIENE:

- ✓ **El *derecho* a divertirse y jugar.**
- ✓ **El *derecho* a hacer deporte.**
- ✓ **El *derecho* a beneficiarse de un ambiente sano.**
- ✓ **El *derecho* a ser apoyado y entrenado por personas competentes.**
- ✓ **El *derecho* a seguir entrenamientos adecuados a su ritmo.**
- ✓ **El *derecho* a medirse con jóvenes que tengan sus mismas posibilidades de éxito.**
- ✓ **El *derecho* a participar en competiciones adecuadas a su edad.**
- ✓ **El *derecho* a practicar deporte con absoluta seguridad.**
- ✓ **El *derecho* a tener el tiempo necesario de descanso.**
- ✓ **El *derecho* a participar y jugar sin ser necesariamente un campeón.**

ÍNDICE

Llegan las aventuras de Geronimo Stilton en cómic!
Queridos amigos roedores:
¡Os presento una nueva colección morrocotuda de cómics! En ella os contaré mis aventuras superratónicas a través del tiempo y viajaremos a épocas fascinantes de la historia.
¡Por mil quesos de bola! ¿Os lo vais a perder?
Geronimo Stilton
Geronimo Stilton
El descubrimiento de América
Planeta Junior
Geronimo Stilton
El descubrimiento de América
Planeta Junior

TEA STILTON

❑ 1. El código del dragón

❑ 2. La montaña parlante

❑ 3. La ciudad secreta

¿Te gustaría ser miembro del CLUB GERONIMO STILTON?

Sólo tienes que entrar en la página web **www.clubgeronimostilton.es** y darte de alta. De este modo, te convertirás en ratosocio/a y podré informarte de todas las novedades y de las promociones que pongamos en marcha.

¡PALABRA DE GERONIMO STILTON!

Este libro no se puede vender sin este comprobante.

PRUEBA DE COMPRA
GERONIMO SILTON
N° 35

El Eco del Roedor

1. Entrada
2. Imprenta (aquí se imprimen los libros y los periódicos)
3. Administración
4. Redacción (aquí trabajan redactores, diseñadores gráficos, ilustradores)
5. Despacho de Geronimo Stilton
6. Helipuerto

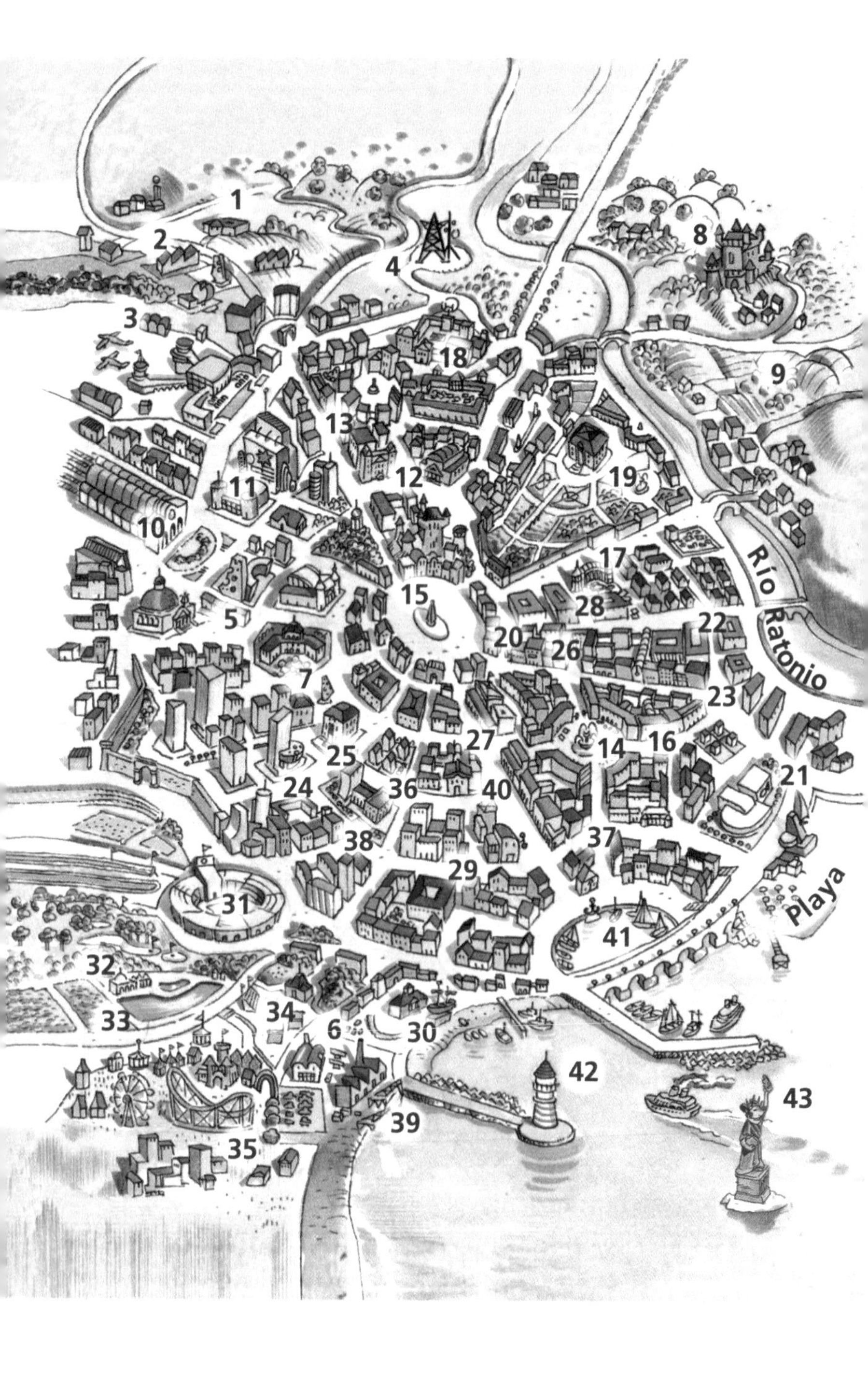
1
2
3
4
8
9
18
13
12
19
11
10
17
Río Ratonio
15
28
22
5
20
26
7
23
27
14
16
25
21
24
36
40
37
38
29
Playa
31
41
32
34
33
6
30
42
43
39
35

Ratonia, la Ciudad de los Ratones

1. Zona industrial de Ratonia
2. Fábricas de queso
3. Aeropuerto
4. Radio y televisión
5. Mercado del Queso
6. Mercado del Pescado
7. Ayuntamiento
8. Castillo de Morrofinolis
9. Las siete colinas de Ratonia
10. Estación de Ferrocarril
11. Centro comercial
12. Cine
13. Gimnasio
14. Sala de conciertos
15. Plaza de la Piedra Cantarina
16. Teatro Fetuchini
17. Gran Hotel
18. Hospital
19. Jardín Botánico
20. Bazar de la Pulga Coja
21. Aparcamiento
22. Museo de Arte Moderno
23. Universidad y Biblioteca
24. «La Gaceta del Ratón»
25. «El Eco del Roedor»
26. Casa de Trampita
27. Barrio de la Moda
28. Restaurante El Queso de Oro
29. Centro de Protección del Mar y del Medio Ambiente
30. Capitanía
31. Estadio
32. Campo de golf
33. Piscina
34. Canchas de tenis
35. Parque de atracciones
36. Casa de Geronimo
37. Barrio de los anticuarios
38. Librería
39. Astilleros
40. Casa de Tea
41. Puerto
42. Faro
43. Estatua de la Libertad

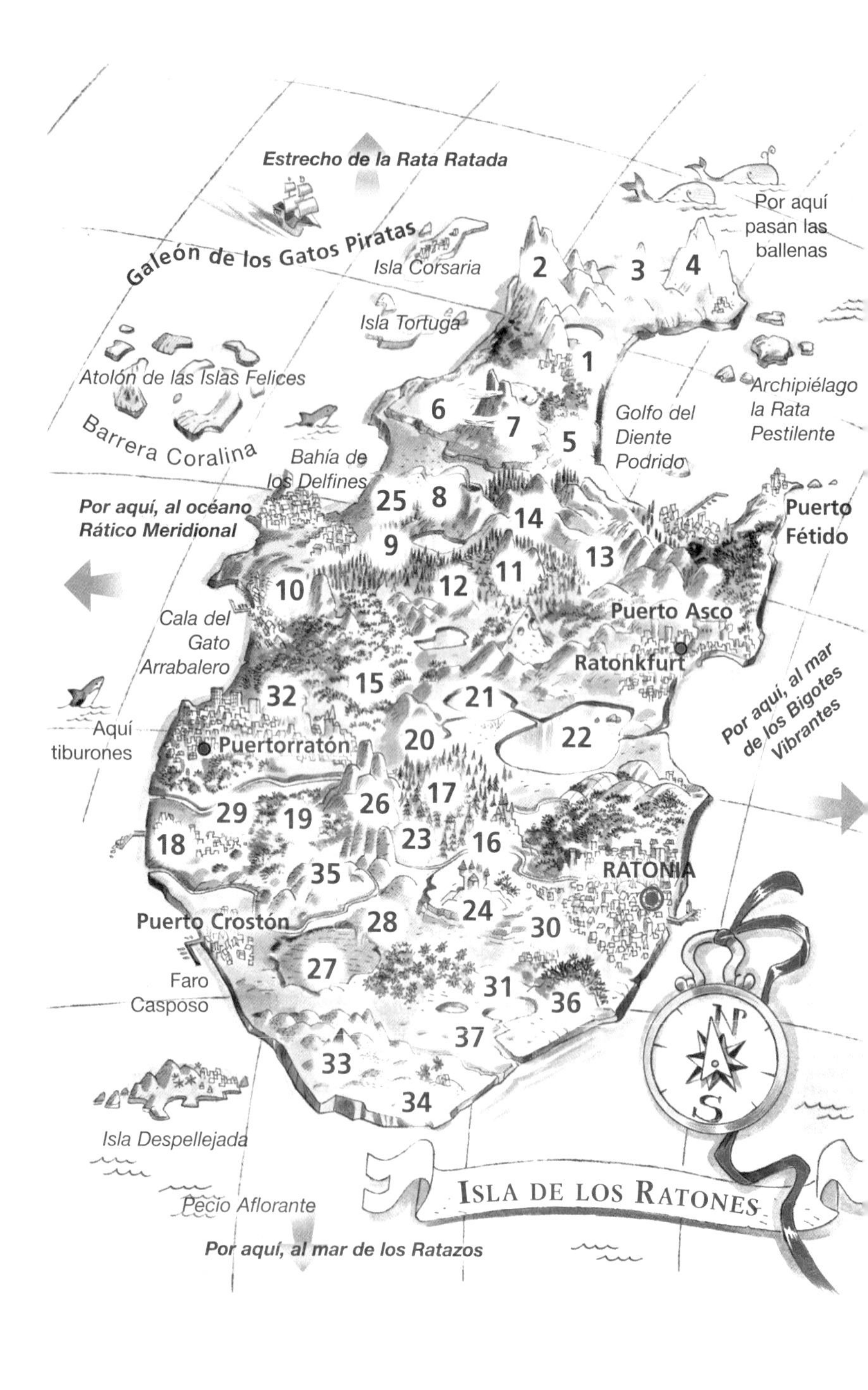
Estrecho de la Rata Ratada
Galeón de los Gatos Piratas
Isla Corsaria
Isla Tortuga
Atolón de las Islas Felices
Barrera Coralina
Bahía de los Delfines
Por aquí, al océano Rático Meridional
Por aquí pasan las ballenas
Archipiélago la Rata Pestilente
Golfo del Diente Podrido
Puerto Fétido
Puerto Asco
Ratonkfurt
Cala del Gato Arrabalero
Aquí tiburones
Puertorratón
Por aquí, al mar de los Bigotes Vibrantes
RATONIA
Puerto Crostón
Faro Casposo
Isla Despellejada
Pecio Aflorante
Por aquí, al mar de los Ratazos
ISLA DE LOS RATONES
N
S
1
2
3
4
5
6
7
8
9
10
11
12
13
14
15
16
17
18
19
20
21
22
23
24
25
26
27
28
29
30
31
32
33
34
35
36
37

La Isla de los Ratones

1. Gran Lago Helado
2. Pico del Pelaje Helado
3. Pico Vayapedazodeglaciar
4. Pico Quetepelasdefrío
5. Ratikistán
6. Transratonia
7. Pico Vampiro
8. Volcán Ratífero
9. Lago Sulfuroso
10. Paso del Gatocansado
11. Pico Apestoso
12. Bosque Oscuro
13. Valle de los Vampiros Vanidosos
14. Pico Escalofrioso
15. Paso de la Línea de Sombra
16. Roca Tacaña
17. Parque Nacional para la Defensa de la Naturaleza
18. Las Ratoneras Marinas
19. Bosque de los Fósiles
20. Lago Lago
21. Lago Lagolago
22. Lago Lagolagolago
23. Roca Tapioca
24. Castillo Miaumiau
25. Valle de las Secuoyas Gigantes
26. Fuente Fundida
27. Ciénagas sulfurosas
28. Géiser
29. Valle de los Ratones
30. Valle de las Ratas
31. Pantano de los Mosquitos
32. Roca Cabrales
33. Desierto del Ráthara
34. Oasis del Camello Baboso
35. Cumbre Cumbrosa
36. Jungla Negra
37. Río Mosquito

Queridos amigos roedores,
hasta el próximo libro.
Otro libro morrocotudo
palabra de Stilton, de...

Geronimo Stilton

ENGANCHA ESTOS ADHESIVOS DONDE QUIERAS. QUE TODOS SEPAN QUE...

¡EL DEPORTE UNE A TODOS LOS ROEDORES!

Geronimo Stilton

Fabricado por
Brosmac, S. L.

No adecuado para niños
menores de 3 años.

¡ATENCIÓN!
Contiene piezas pequeñas
que pueden ser ingeridas o inhaladas.

HECHO EN ESPAÑA

TEA

GERONIMO

BENJAMÍN

TRAMPITA

¡Soy un
hincha de
PRIMERA!

I ♥ EL
DEPORTE

¡SOY UN
AUTÉNTICO
DEPORTISTA!

RATONIA

RODITORIX

ENGANCHA ESTOS ADHESIVOS DONDE QUIERAS. QUE TODOS SEPAN QUE...

¡EL DEPORTE UNE A TODOS LOS ROEDORES!

Geronimo Stilton

Fabricado por
Brosmac, S. L.
No adecuado para niños
menores de 3 años.
¡ATENCIÓN!
Contiene piezas pequeñas
que pueden ser ingeridas o inhaladas.
HECHO EN ESPAÑA
CE